KB178037

고등
세계사
종결자
기타사편

현동쌤 지음

고등 세계사 종결자 기타사편

발 행 | 2024년 4월 29일

저 자 | 현동쌤

펴낸이 | 한건희

펴낸곳 | 주식회사 부크크

출판사등록 | 2014.07.15.(제2014-16호)

주 소 | 서울특별시 금천구 가산디지털1로 119 SK트윈타워 A동 305호

전 화 | 1670-8316

이메일 | info@bookk.co.kr

ISBN | 979-11-410-8302-1

www.bookk.co.kr

ⓒ 현동쌤 2024

본 책은 저작자의 지적 재산으로서 무단 전재와 복제를 금합니다.

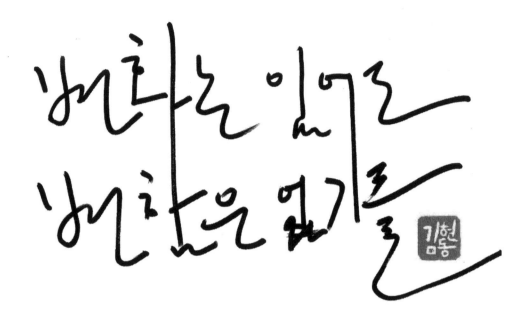

여러분 안녕하세요. 김현동 선생님입니다. 이번에 세계사 개정판을 출간하게 되었습니다. 보통 한국사를 중점으로 가르치는 경우가 많다 보니 소홀했던 것 같아요.

이 교재는 그 동안 출간하였던 세계사 집합체입니다. 『종래의 개념을 뒤집어 착달라 붙는 역사 참고서·문제집1』과 『엄지척 중·고등 역사 칠판노트』를 재정리한 것입니다. 또한, 여러분의 의견을 반영하여 필기할 수 있는 공간을 확보하였습니다. 더불어, 특정 주제에 대해 심화하여 학습할 수 있도록 내용을 추가하였습니다.

여러분에게 이 교재가 역사 공부를 하는데 작게나마 도움이 되었으면 합니다. 궁금한 내용은 khd9937@korea.kr로 메일을 남겨주세요. 앞으로 여러분에게 도움이 될 수 있도록 계속 교재를 만들어갈 생각입니다. 많은 격려와 지지 부탁드립니다. 그러면 웃는 얼굴로 교실에서 만나요!

2024.4.26. 교무실에서

구성과 특징

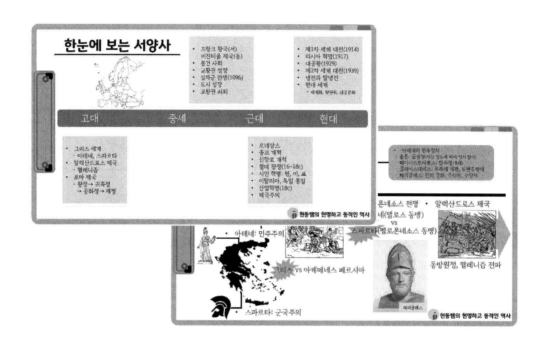

- 한눈에 보는 세계사: 전체 흐름을 쉽게 파악할 수 있도록 제시하였다.
- 칠판 노트: 현장 수업에서 필기한 내용을 바탕으로 주요 학습 내용을 이해할 수 있도록 하였다.

* **소설로 보는 역사,**

공군 원수 손드비가
런 대목이 있었다.
는 사실은 누구도 모
래무기를 이용한 공
죽었다. 1945년 3월
이용한 미국 중폭격기의 도쿄 공중 공격으로 83,793
명이 죽었다. 히로시마에 투하한 원자탄은 71,379명
이 죽였다. 뭐 그런 거지.
    - 제5도살장, 커트 보니것, p.233~234 -

그렇게 온순하고 조금씩만 먹던 양들이 요즘
에는 지나치게 많이 먹고 또 사나워져서, 과
장하면 인간들까지 다 먹어 치우고 있습니다.
…… 귀족과 신사, 성직자인 수도원장까지도 백
성들의 경작지를 빼앗아 울타리로 둘러싸 버렸
기 때문입니다.   - 토마스 모어, 유토피아 -

- 인용: 여러 저서/사료 인용을 통해
심층적으로 역사를 이해할 수 있도록 하였다.

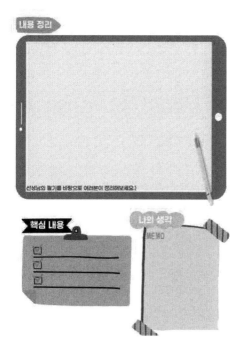

● <u>스스로 정리</u>

- 내용 정리: 수업을 들으며 필기할 수 있도록 공간을 확보하였다.
- 핵심 내용: 스스로 중요한 내용을 추출할 수 있도록 구성하였다.
- 나의 생각: 학습한 내용에 대해 자신의 생각을 서술할 수 있도록 하였다.

2017학년도 7월 고3 세계사

18. 밑줄 친 '이 제국'의 문화에 대한 설명으로 옳은 것은?

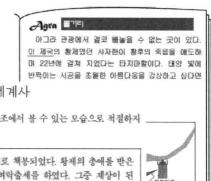

Agra 볼거리

아그라 관광에서 결코 빼놓을 수 없는 곳이 있다. <u>이 제국</u>의 황제였던 샤자한이 황후의 죽음을 애도하며 22년에 걸쳐 지었다는 타지마할이다. 태양 빛에 반짝이는 시공을 초월한 아름다움을 감상하고 싶다면

2020학년도 대수능 세계사

5. 밑줄 친 '반란'이 일어난 왕조에서 볼 수 있는 모습으로 적절하지 않은 것은? [3점]

천보 4년, 양옥환은 귀비로 책봉되었다. 황제의 총애를 받은 덕분에 그녀의 친족들은 벼락출세를 하였다. 그중 재상이 된 양국충은 안녹(록)산을 시기하여 그를 제거하려다가 안녹산의 <u>반란</u>을 초래하였고, 황제를 모시고 피란 가던 도중에 양귀비와 함께 죽음을 맞았다.

타지마할

① 탈라스 전투에 참전한 군인
② 청명상하도를 감상하는 황제
③ 균전제의 실태를 조사하는 관리
④ 조로아스터교 사원에 가는 신도
⑤ 불경을 구하러 인도로 떠나는 승려

● 문제: 학습한 내용을
전국연합 모의고사, 모의평가, 대수능 문제를 통해 응용할 수 있게 구성하였다.

Contents 차례

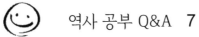

☑ 역사 공부 Q&A

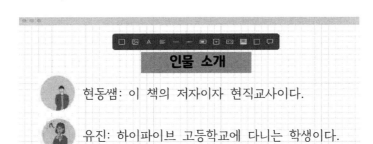

인물 소개

현동쌤: 이 책의 저자이자 현직교사이다.

유진: 하이파이브 고등학교에 다니는 학생이다.

안녕하세요! 현동쌤. 역사 공부가 너무 어려워요. 외워야 할 것도 많아요ㅠㅠ 도와주세요.

안녕~ 유진아. 쉽게 이야기하면 역사는 외우는 것이 아니란다.

네에?? 그게 무슨 말이예요?

물론 역사를 공부할 때 암기 해야죠~ 그 보다는 흐름이 중요하답니다.

아 흐름이요?? 흐름은 시간의 순서를 말하나요?

네! 예를 들어, 여러분이 로마를 배우고 있다면 로마 정치의 왕정, 공화정, 제정이라는
흐름 속에서 어떤 사건과 변화과정이 있었는지를 알아두어야겠죠~

유진이가 전체 맥락을 보고 내용을 보면 이해가 쉬워질꺼예요!

아아 흐름을 기억해두어야겠네요.

현동쌤. 그래도 암기해야 할 것이 너무 많은 것 같아요. 뭐가 중요한 지도 모르겠구요ㅠ

물론 공부를 하려면 전체 내용을 알아야 하죠. 그것보다는 무엇이 중요한지 먼저 알아야 두어야
합니다.

중요한 내용을 중점으로 파악한 뒤 다른 내용도 반복해서 읽고 공부하면 조금 쉬워진답니다.

앞으로는 중요한 것이 무엇인지 한번 봐야겠어요!

공부를 할 때는 반복해서 공부하면 내용을 기억하는데 도움이 됩니다. 학습지, 교과서, 참고서 및
문제집을 여러분의 순서에 맞게 반복해서 보면 좋답니다. 또한, 청킹이라고 하는 것을 이용해
보세요. 선생님의 경우 앞 글자를 따서 기억을 하려는 편인데요. 가령, 중국사의 한나라를 배우고
있다면, ㅎ에 해당되는 것을 연결해서 기억하면 쉽겠죠? 흉노, 훈고학, 향거리선제, 호족, 황건
적의 난 등을 떠올려보세요. 유진이 화이팅!

현동쌤. 감사합니다!! 지금 당장 역사 공부하러 가야겠어요~

일본사

한눈에 보는 일본사

홋카이도
혼슈
시코쿠
규슈

고대	중세	근대	현대

고대
- 야요이 시대
- 야마토 정권
  - 쇼토쿠 태자
  - 아스카 문화
  - 다이카 개신(645)
- 나라 시대
- 헤이안 시대
  - 국풍 문화 ex) 과복

중세
- 가마쿠라 막부(1185)
- 무로마치 막부(1336)
- 전국시대 → 통일
- 에도 막부(1603)
  - 중앙집권적 봉건제
  - 조닌 문화
  - ex) 가부키, 우키요에

근대
- 미·일 화친 조약(1854)
- 미·일 수호 통상 조약(1858)
- 메이지 유신(1868)
  - 폐번치현, 징병제 등
  - 제국주의
  - 청·일 전쟁(1894)
  - 러·일 전쟁(1904)

현대
- 중국에 21개조 요구
- 중·일 전쟁(1937)
- 추축국 형성
  - 독·이·일
- 태평양 전쟁(1941)
- 무조건 항복(1945)

일본사 연표

| 고대 | 중세 | 근대 | 현대 |

고유 관복

우키요에

가부키

고대

- 야마토 정권
  - 쇼토쿠 태자
  - 아스카 문화
  - 다이카 개신(645)
    - 중앙 집권체제
  - 일본 국호 사용
- 나라시대
  - 견당사, 견신라사
  - 고사기, 일본서기, 만엽집
  - 불교사원 ex) 동대사
- 헤이안 시대
  - 견당사 X
  - 국풍문화 발달
  ex) 가나문자, 고유 관복

중세

쇼군(장군)

- 막부정권
1. 가마쿠라
  - 미나모토 요리토모
  - 여원 연합군
2. 무로마치
  - 아시카가 다카우지
  - 감합무역
3. 전국시대
4. 에도막부
  - 도쿠가와 이에야스 [도요토미 히데요시]
  - 산킨고타이제
  - 조닌 문화 ex) 우키요에, 가부키
  - 쇄국정책
  - 난학

통일 ↑

근대

- 개항
  - 미일화친조약
  - 미일수호통상조약
  개항 이후 막부에 대한 불만

- 메이지 유신(1868)
  - 정치: 폐번치현
  - 경제: 상공업
  - 사회: 사민평등
  - 교육: 교육칙어
  - 기타: 징병제, 신도 국교

- 제국주의
- 대공황 → 군국주의

현대

- 전후 변화
  - 천황의 인간 선언
  - 신헌법
  - 55년 체제 (자민당)

내용 정리

선생님의 필기를 바탕으로 여러분이 정리해보세요:)

핵심 내용

나의 생각

MEMO

과목	역사1	소속	( )학교 ( )학년 이름( )
단원	Ⅱ. 세계 종교의 확산과 지역 문화의 형성		
주제	2. 동아시아 문화의 형성과 확산/ 고대 일본		
핵심내용	- 헤이안 시대		

주제 1 고대 일본

내용 정리

선생님의 필기를 바탕으로 여러분이 정리해보세요:)

1. 야마토 정권

· (쇼토쿠) 태자의 섭정: 한반도와 중국의 선진 문화 수용→ 중앙 집권 체제 강화, 불교 진흥 (아스카 문화)

· (다이카 개신)(645): 견당사를 통한 당의 율령체제 도입(다이호 율령, 701)→ 중앙집권화 개혁 시행

 - 중앙 통지 조직: 2관(신기관: 제사 담당하는 일본 독자성 부각, 태정관) 8성제

 - 토지: 매매가 금지된 구분전 지급(당 모방)

· 무릇 호는 오십 호를 리로 삼아라. 리마다 장 1인을 두어라.

· 무릇 호적은 6년에 한 번 만들라. 십일월 상군에 시작하여 식에 따라 리별로 권을 만들고 3통을 필사하라. 국, 군, 리, 연적이라고 주기하라.……두 통은 태정관에게 송신하고 한 통은 국에서 보관하라.

 - 영집해 -

2. 나라 시대

· 8세기 초 나라지역에서 헤이조쿄 건설: 장안성 모방

· (견당사), 견신라사 파견

· 고사기, 일본서기, 만엽집 편찬

· 불교 사원 건축, 불상 제작

3. ☆ 헤이안 시대

· 8세기 말 (헤이안)쿄 천도

· 9세기 말 견당사 폐지

· (국풍 문화) 발달

 - 가나 문자 사용

 - 소설 겐지 이야기 편찬

 - 일본 고유 관복

 - 일본 고유 주택

· 귀족·호족의 독자 세력 형성→ (무사) 계급 성장

2014학년도 대수능 세계사

16. (가), (나) 시대에 대한 설명으로 옳지 않은 것은?

원쪽 그림은 (가) 시대의 수도 장안성의 구획도입니다. 그리고 오른쪽 그림은 국풍 문화가 등장하는 (나) 시대의 관복입니다.

① (가) - 중앙 통치 조직으로 3성 6부를 두었다.
② (가) - 마니교, 이슬람교 등의 외래 종교가 유행하였다.
③ (나) - 고유 문자인 가나가 만들어졌다.
④ (나) - 수도를 헤이안쿄로 옮기면서 시작되었다.
⑤ (가), (나) - 견당사를 통한 문물 교류가 지속되었다.

2018학년도 6월 고3 모의평가 세계사

5. (가) 시대에 있었던 사실로 옳은 것은?

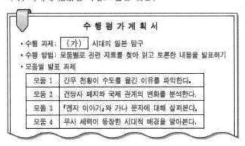

수 행 평 가 계 획 서

• 수행 과제: (가) 시대의 일본 탐구
• 수행 방법: 모둠별로 관련 자료를 찾아 읽고 토론한 내용을 발표하기
• 모둠별 발표 과제

모둠 1	간무 천황이 수도를 옮긴 이유를 파악한다.
모둠 2	견당사 폐지와 국제 관계의 변화를 분석한다.
모둠 3	「겐지 이야기」와 가나 문자에 대해 살펴본다.
모둠 4	무사 세력이 등장한 시대적 배경을 알아본다.

① 국풍 문화가 발달하였다.
② 감합 무역이 이루어졌다.
③ 메이지 유신이 단행되었다.
④ 쇼토쿠 태자가 불교 진흥책을 펼쳤다.
⑤ 산킨고타이(산킨코타이)제가 실시되었다.

정답 16. ⑤, 5. ①

내용 정리

선생님의 필기를 바탕으로 여러분이 정리해보세요:)

핵심 내용

나의 생각

MEMO

과목	역사1	소속	( )학교 ( )학년 이름( )
단원	Ⅲ. 지역 세계의 교류와 변화		
주제	2. 동아시아 지역 질서의 변화		
핵심내용	- 무로마치 막부: 감합무역 - 에도 막부: 조닌문화(가부키, 우키요에)		

주제 1 막부 정권

내용 정리

선생님의 필기를 바탕으로 여러분이 정리해보세요:)

1. 막부 정권

가마쿠라 막부	· 전 상황: 시대 혼란에 따라 귀족들이 장원을 지키기 위해 무사들을 고용→ 무사들의 성장 · (미나모토 요리토모)가 개창

미나모토 요리토모는 다이라 씨를 타도한 후 그 휘하의 무사들을 고케닌으로 삼고, 이들을 통제하기 위해 중앙에 사무라이도코로와 몬추쇼 등을 설치하였다. 고케닌은 슈고와 지토로 임명되어 지방에서 각각 치안과 징세 업무를 담당하였다.

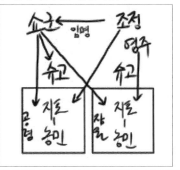

· 천황은 실권을 잃고, (쇼군)이 최고 권력자로 부상
· 여·원 연합군의 일본 원정 방어

무로마치 막부	· (아시카가 다카우지)가 개창 · 명과 (감합무역) 실시 · 전국시대로 혼란
☆ 에도 막부	· 전 상황: 도요토미 히데요시의 전국시대 통일→ 임진왜란→ 도요토미 히데요시 사망 · (도쿠가와 이에야스)가 개창 · 중앙집권적 봉건제 시행 · (산킨고타이제(참근교대)) 시행 · (조닌문화) 발달 - 가부키 - 우키요에 · 쇄국정책: 크리스트교 포교 금지, (네덜란드) 상인과 제한적인 교역 허용(난학 유행)

도요토미 히데요시가
임진왜란을 일으킨 이유는 무엇일까?

<자료1> 그림 비교

에도 막부(17~19c)	인상파(19c)
우키요에	고흐, 탕기영감의 초상

2023학년도 대수능 세계사

3. (가) 막부에 대한 설명으로 옳은 것은?

쇼군이 '가키쓰의 변'으로 피살된 후 (가) 의 권위는 점차 실추되었다. 대규모 반란이 빈번해지면서 다이묘에 대한 통제도 약화되었다. 이후 호소카와 가쓰모토와 야마나 모치토요의 대립이 고조되었고 대란이 발발하였다. 교토는 주요 전장이 되어 큰 피해를 입었다. 이를 계기로 (가) 의 정치적 영향력이 위축되었고 다이묘들이 패권을 다투는 상황이 한 세기가량 이어졌다.

① 헤이조쿄로 천도하였다.
② 원의 침입을 막아내었다.
③ 감합 무역을 전개하였다.
④ 다이카 개신을 추진하였다.
⑤ 메이지 유신을 단행하였다.

2021학년도 대수능 세계사

8. 다음 여행이 이루어진 시기에 볼 수 있는 모습으로 적절한 것은?

나는 동인도 회사의 상관장과 함께 쇼군을 접견하는 여행에 동행하였다. 여행의 목적은 쇼군에게 감사의 선물을 바치고 서양의 사정을 알리는 것이었다. 우리 일행은 쇼군 쓰나요시를 만났고, 그는 나에게 국제 정세 등 여러 의문 사항을 질문하였다. 쇼군과의 만남 이후 우리 일행은 융숭한 대접을 받았으나, 구경꾼들의 호기심 어린 시선을 견뎌야 했다. 공식 일정을 마친 우리 일행은 귀로에 나서 데지마로 돌아왔다.
- 엥겔베르트 캠퍼, 「일본의 역사」-

① 견수사에 동행하는 유학승
② 다이카 개신을 추진하는 관리
③ 헤이안쿄 천도를 명하는 천황
④ 산킨코타이를 준비하는 다이묘
⑤ 이와쿠라 사절단을 수행하는 통역사

정답 8. ④, 3. ③

내용 정리

선생님의 필기를 바탕으로 여러분이 정리해보세요:)

핵심 내용

☑ _____
☑ _____
☑ _____

나의 생각

MEMO

과목	역사1	소속	( )학교 ( )학년 이름( )
단원	Ⅳ. 제국주의 침략과 국민 국가 건설 운동		
주제	4. 동아시아의 국민 국가 건설 운동		
핵심내용	- 일본의 개항 - 메이지 유신		

주제 1 일본의 개항과 근대화 운동

내용정리

선생님의 필기를 바탕으로 여러분이 정리해보세요:)

1. 일본의 개항

배경	미국의 포함외교 최혜국 대우 인정
미·일 화친조약	제2조: 이즈의 시모다, 마쓰마에의 하코다테 두 항구에 대해 일본 정부는 미국선이 장작, 물, 식량, 석탄 등의 부족한 물품을 일본에서 조달할 수 있는 한 보급하도록 미국선의 도래를 허가한다. 제9조: 일본 정부가 외국인에 대해 이번에 미국인에게 허가하지 않았던 사항을 허가했을 때에는. 미국인에게도 같은 사항을 허가한다.

· 영사 재판권(치외법권) 인정
· 협정 관세(관세 자주권 포기)

미·일 수호통상조약	제3조: 시모다, 하코다테 외에도 아래 장소를 개항한다. 가나가와, 나가사키, 니가타, 효고. 제6조: 일본인에 대하여 범법 행위를 한 미국인은 미국 영사 재판소에서 조사한 후 미국의 법으로 처벌한다. 미국인에 대하여 범법 행위를 한 일본인은 일본인 관리가 조사한 후 일본의 법으로 처벌한다.

	외국 상품 유입으로 일본 국내 경제 악화→ 조약을 체결한 (막부에 대한 비판) 고조
이후 상황	지금까지 수백 년 동안 태평하여 방비가 허술한 상황에서 교활한 서양 오랑캐의 함포에 놀란 이후에 경솔하게 미국과 수호 통상 조약을 맺었다. 그로부터 8년이 지난 지금 민심의 불화가 심해졌다. 그 원인을 찾아보면 천황의 결정이 내려지지 않은 상태에서 조약을 맺었기 때문이다.

2. ☆ 메이지 유신

의미		사쓰마번과 조슈번 중심의 막부 타도 운동으로 세워진 메이지 정부(왕정복고)에서 주도한 개혁
성격		위로부터 근대화 운동
개혁	정치	· 에도→ 도쿄 수도 명칭 변화 · (폐번치현) 단행
	경제	· 근대적 토지 세금제도 확립 · 상공업 장려 · 근대적 공장 설립
	사회	· 봉건적 신분제 개혁(사민평등) · 봉건적 특권 폐지
	교육	· 의무 교육 시행 · 유학생 파견 · 교육칙어 반포 나의 신민들은 충과 효로 모든 사람이 마음을 하나로 해서 대대로 그 아름다움을 이루는 것이 국체의 정화이며, 교육의 근원도 여기에 있다. 항상 국헌을 존중하고 국법을 지키며 위급할 때는 충의와 용기로 황운을 받들어야 한다.
	기타	· (이와쿠라 사절단 파견) · (징병제) 실시 · 신도를 국교로 함 · 우편제도 시행 · 철도 부설

3. 제국주의로 확대

정한론	수교를 거부하던 조선에 대한 정벌을 주장
대외침략	· 타이완 출병, 류큐 합병 · 청·일 전쟁: (시모노세키) 조약으로 타이완, 랴오둥 반도 차지→ 삼국 간섭으로 반환 · 러·일 전쟁: (포츠머스) 조약으로 한반도와 남만주 이권 확보

2020학년도 대수능 세계사

15. 밑줄 친 '정책'으로 옳은 것만을 <보기>에서 고른 것은? [3점]

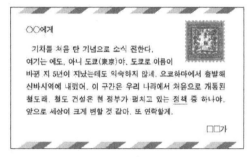

○○에게

기차를 처음 탄 기념으로 소식 전한다. 여기는 에도, 아니 도쿄(東京)야. 도쿄로 이름이 바뀐 지 5년이 지났는데도 익숙하지 않네. 요코하마에서 출발해 신바시역에 내렸어. 이 구간은 우리 나라에서 처음으로 개통된 철도래. 철도 건설은 현 정부가 펼치고 있는 정책 중 하나야. 앞으로 세상이 크게 변할 것 같아. 또 연락할게.

□□가

─────< 보 기 >─────
ㄱ. 징병제를 도입하였다.
ㄴ. 감합 무역을 추진하였다.
ㄷ. 이와쿠라 사절단을 파견하였다.
ㄹ. 산킨고타이(산킨코타이) 제도를 실시하였다.

① ㄱ, ㄴ ② ㄱ, ㄷ ③ ㄴ, ㄷ ④ ㄴ, ㄹ ⑤ ㄷ, ㄹ

2020학년도 대수능 동아시아사

13. 다음 정책을 실시한 정부에 대한 설명으로 옳은 것은? [3점]

○ 수백 년 동안의 낡은 관습 때문에 명목만 남은 번(藩)이 있으니, 옛 다이묘의 영지인 번을 폐지하고 현(縣)으로 한다.
○ 지조(地租)를 개정한 후에는 토지 가격에 따라 과세하고, 풍년이라도 증세하지 않으며 흉년이라도 감세하지 않는다.

① 입헌 군주제를 규정한 헌법을 제정하였다.
② 미·일 화친 조약을 맺고 항구를 개항하였다.
③ 서양식 학제를 본떠 경사 대학당을 설립하였다.
④ 근대적 개혁을 위하여 통리기무아문을 설치하였다.
⑤ 서양의 군사 기술을 도입하자는 양무운동을 추진하였다.

정답 15. ②, 13. ①

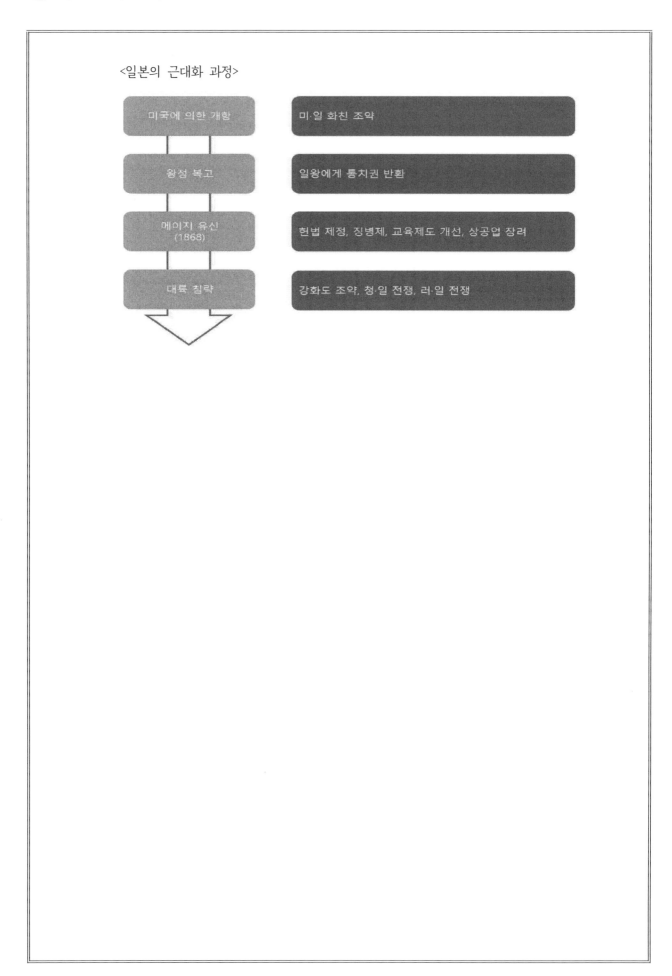

<일본의 근대화 과정>

미국에 의한 개항	미·일 화친 조약
왕정 복고	일왕에게 통치권 반환
메이지 유신 (1868)	헌법 제정, 징병제, 교육제도 개선, 상공업 장려
대륙 침략	강화도 조약, 청·일 전쟁, 러·일 전쟁

인도사

한눈에 보는 인도사

고대	중세	근대	현대

고대

- 인도 문명
- 불교 등장
- 마우리아 왕조
  - 아소카왕, 상좌부 불교
- 쿠산 왕조
  - 카니슈카왕, 대승 불교
- 굽타 왕조(320)
  - 힌두교, 굽타 양식

중세

- 이슬람 왕조(11c)
- 델리 술탄시대(13c)

근대

- 무굴제국(1526)
  - 아크바르 황제
  - 아우랑제브 황제
  - 이슬람 문화
- 세포이 항쟁(1857)
  - 인도 국민 회의
  - 친영 → 반영
  - 간디 비폭력·불복종 운동
- 독립(1947)

현대

- 인도/파키스탄 분리
- 제3 세계 형성

인도사 연표

| 고대 | 고전문화 발달 | 이슬람 왕조 | 근대 | 현대 |

고대

- 아리아인 이동
  - 철기
- 카스트 제도
- 브라만교

- 마우리아 왕조
  - 아소카왕
  - 상좌부 불교

- 쿠산 왕조
  - 카니슈카왕
  - 대승 불교
  - 간다라 미술

굽타 양식

고전문화 발달

- 굽타 왕조
  - 힌두교: <마누법전>
  - 산스크리트 문학
    ex) <라마야나>
  - 굽타 양식

이슬람 왕조

- 델리술탄 왕조
  - 노예 왕조: 쿠트브 미나르
- 촐라 왕조

- 무굴 제국
  - 아크바르: 통합정책
  - 샤자한: 타지마할
  - 아우랑제브: 이슬람 제일주의

아라비아인 이동

근대

- 민족운동
  - 브라흐모 사마지 운동
  - 세포이 항쟁(1857)
  - 인도 국민회의
    - 벵골분할령: 치열 → 반영
    - 콜카타 대회(1906)
      1. 영국 상품 배척
      2. 스와라지
      3. 스와데시
      4. 국민교육
    - 간디: 비폭력 vs 네루: 무력저항

현대

- 파키스탄 분리(1947)

아소카왕 석주

간다라 미술

쿠트브 미나르

내용 정리

선생님의 필기를 바탕으로 여러분이 정리해보세요:)

핵심 내용

나의 생각

MEMO

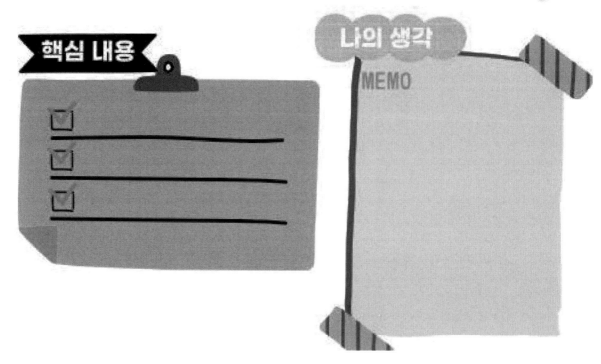

과목	역사 1	소속	( )학교 ( )학년 이름( )
단원	Ⅱ. 세계 종교의 확산과 지역 문화의 형성		
주제	1. 불교 및 힌두교 문화의 형성과 확산/ 마우리아, 쿠샨왕조		
핵심내용	- 마우리아 왕조의 특징 - 쿠샨 왕조의 특징		

주제	1	인도의 통일 제국 출현

내용 정리

선생님의 필기를 바탕으로 여러분이 정리해보세요:)

1. 불교와 자이나교의 성립

배경	· 크샤트리아, 바이샤 계급의 성장 · 우파니샤드 철학 등장
불교	· 고타마 싯다르타가 창시 · 인간 (평등) 강조 · 해탈 추구
자이나교	바르다마나가 창시

2. 마우리아 왕조

건국	찬드라굽타가 북인도 통일
전성기	(아소카왕) – 불경 정리 – 불교 포교 – 산치 대탑 건립
상좌부 불교	· (개인)의 해탈 중시 · 동남아시아로 전파

3. 쿠샨 왕조

전성기	(카니슈카왕) 때 영토 확장
대승 불교	카니슈카왕의 불교 장려, 중생 구제
간다라 양식	(인도) 문화 + (헬레니즘) 문화 융합

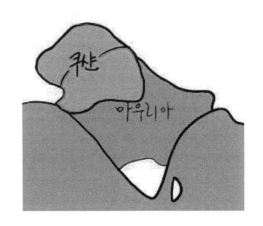

내용 정리

선생님의 필기를 바탕으로 여러분이 정리해보세요:)

핵심 내용

나의 생각

MEMO

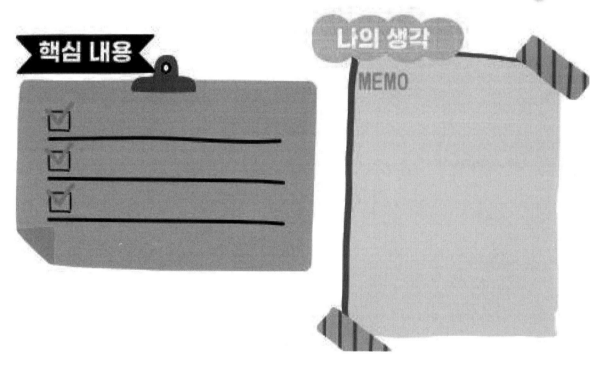

과목	**역사1**	소속	( )학교 ( )학년 이름( )
단원	Ⅱ. 세계 종교의 확산과 지역 문화의 형성		
주제	1. 불교 및 힌두교 문화의 형성과 확산/ 굽타 및 이슬람 왕조		
핵심내용	- 굽타 왕조		

주제 1 인도의 발전

내용 정리

선생님의 필기를 바탕으로 여러분이 정리해보세요:)

1. 굽타왕조

건국	· 4세기 초 갠지스강 유역에서 찬드라 굽타 1세가 건국 · 수도 파탈리푸트라
전성기	찬드라 굽타 2세의 북인도 통일
쇠퇴	(에프탈)의 침입 이후 6세기 중엽 멸망

cf. 동진 법현의 방문

2. 힌두교와 인도 고전 문화의 발달

힌두교	· 브라만교 + 불교 + 인도 민간 신앙의 융합 · (마누법전) 중시 · (카스트)에 따른 의무 수행 중시
불교	대승 불교 교리 연구
산스크리트 문학	· 칼리다사의 (샤쿤탈라) · (마하바라타), (라마야나)
(굽타 양식)	· 간다라 양식 + 인도 고유 특색 · 아잔타 석굴, 엘로라 석굴
자연 과학	· 0과 10진법 사용 · 지구 자전 및 월식 발생 원리 인식

3. 이슬람 왕조의 등장

- 바르다나 왕조: 7세기 초 북인도 재통일→ 분열
- 8세기 경 북인도에 이슬람 세력 진출
- 촐라 왕조: 남인도에서 형성, 해상무역
- 맘루크[1] 왕조: 쿠트브미나르 건립

－ 델리 술탄 왕조: 300년 간 다섯 왕조 교체

2021학년도 대수능 세계사

7. 다음 건축물에 대한 탐구 활동으로 가장 적절한 것은? [3점]

이 건축물은 튀르크 세력이 펀자브 지방을 넘어 마침내 델리를 정복한 것을 기념하여 건립되었습니다. 그 후 델리를 중심으로 여러 이슬람 왕조가 지속되며 이슬람 문화가 확산되었습니다.

① 마라타 동맹이 결성된 목적을 분석한다.
② 상좌부 불교가 등장한 배경을 알아본다.
③ 아이바크의 인도 진출 과정을 조사한다.
④ 아소카왕의 영토 확장 정책을 찾아본다.
⑤ 에프탈의 침입이 끼친 영향을 파악한다.

2017학년도 대수능 세계사

3. (가) 왕조의 문화에 대한 설명으로 옳은 것은?

■ (가) 왕조의 최대 영역
→ (가) 왕조의 팽창 방향
➤ 에프탈의 침입 방향

① 우르두 어가 사용되었다.
② 쿠트브 미나르가 건립되었다.
③ 불교와 자이나교가 출현하였다.
④ 아소카 왕이 산치 대탑을 세웠다.
⑤ 샤쿤탈라 등 산스크리트 문학이 발달하였다.

2023학년도 대수능 세계사

10. 밑줄 친 '이 왕조'에 대한 설명으로 옳은 것은?

동진의 구법승 법현은 장안을 출발해 중앙아시아를 거쳐 이 왕조의 땅을 밟게 되었다. 그는 여행기에서, "이 왕조는 곳곳에 무료 요양소와 치료소를 설치하고 활발한 빈민 구제 활동을 펼쳤다. 뿐만 아니라 학문이 크게 발달하였고 사람들도 매우 친절하였다."라고 격찬하였다. 그는 탁실라・푸루샤푸라 (페샤와르)・부다가야 등 불교 성지를 순례하였고, 3년 동안 수도 파탈리푸트라에서 대중부(大衆部) 율장(律藏)을 필사하고 연구하는 일에 전념하다가 실론을 거쳐 무역선을 타고 귀국하였다.

① 쿠트브 미나르가 건설되었다.
② 간다라 미술 양식이 등장하였다.
③ 아소카왕이 산치 대탑을 조성하였다.
④ 에프탈의 침략으로 세력이 약화되었다.
⑤ 힌두교도들이 마라타 동맹을 결성하였다.

정답 3. ⑤, 7. ③, 10. ④

---

1) 남자노예, 백인 노예를 의미하며, 일명 터키를 말한다.

내용 정리

선생님의 필기를 바탕으로 여러분이 정리해보세요:)

핵심 내용

나의 생각

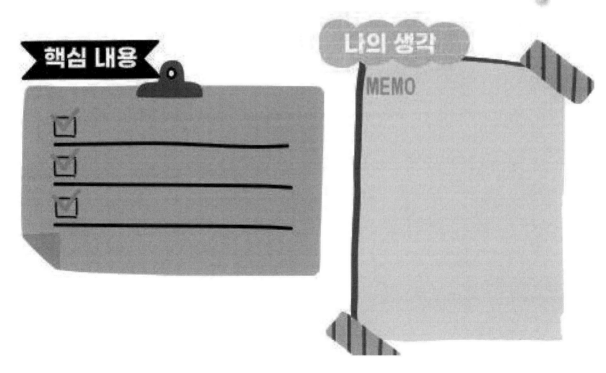

MEMO

과목	역사1	소속	( )학교 ( )학년 이름( )
단원	III. 지역 세계의 교류와 변화		
주제	3. 서아시아·북아프리카·인도 지역 질서의 변화		
핵심내용	- 무굴제국		

주제	1	이슬람 세계: 인도, 동남아시아

내용 정리

선생님의 필기를 바탕으로 여러분이 정리해보세요:)

1. 인도: 무굴제국

정치	· 바부르 황제: 티무르 후손이 건국(1526)
	· ☆ (아크바르) 황제
	– 중앙집권체제 확립
	– 이슬람, 힌두교 화합 추진
	ex) **비이슬람교도에 대한 지즈야 폐지**, 힌두교 세력 여인과 결혼
	· ☆ (아우랑제브) 황제
	– 최대 영역 확보
	– 이슬람 제일 주의 표방
	ex) **지즈야 부활**, 힌두교 사원 파괴, 모스크 건립
	· 각지 반란, 영·프의 침략으로 쇠퇴
경제	면직물, 향신료 유럽에 수출
문화	· **이슬람+힌두 문화**
	· 시크교: 이슬람+힌두 문화
	· 회화: 페르시아 세밀화, 무굴 회화
	· 언어: 우르두 어(힌두 어+페르시아어+아랍 어)
	· 인도·이슬람 양식 건축 ex) 타지마할

타지마할
타지마할은 무굴 제국 5대 황제인 샤자한이 왕비를 추모하기 위해 세운 묘당이다. 힌두·이슬람 양식을 대표하는 건축물이다. 아라베스크 무늬, 돔 지붕, 아치형 입구, 첨탑은 이슬람 양식이며, 연꽃무늬 장식과 작은 탑은 힌두 양식이다.

2. 동남아시아

베트남	· 레 왕조
	· 응우옌 왕조
타이	· 수코타이 왕조: 상좌부 불교
	· 아유타야 왕조
	· 짜끄리 왕조
미얀마	· 파간왕조
	· 퉁구왕조
	· 꼰바웅 왕조
	· 영국령 인도 제국 편입
인도네시아	마자파힛 왕조
말레이시아	· 믈라카 왕조
	– **향신료 무역** 독점
	– ☆ (이슬람교)로 개종

2017학년도 7월 고3 세계사

18. 밑줄 친 '이 제국'의 문화에 대한 설명으로 옳은 것은?

① 베다가 등장하였다.
② 우르두어가 사용되었다.
③ 샤쿤탈라가 완성되었다.
④ 간다라 미술이 출현하였다.
⑤ 불교와 자이나교가 등장하였다.

정답 18. ②

내용 정리

선생님의 필기를 바탕으로 여러분이 정리해보세요:)

핵심 내용

나의 생각

MEMO

과목	**역사1**	소속	( )학교 ( )학년 이름( )
단원	**Ⅳ. 제국주의 침략과 국민 국가 건설 운동**		
주제	3. 서아시아와 인도의 국민 국가 건설 운동		
핵심내용	- 세포이 항쟁 - 인도 국민 회의의 반영 운동		

주제 1 인도의 민족 운동

내용 정리

선생님의 필기를 바탕으로 여러분이 정리해보세요:)

1. 영국의 인도 침략

배경	무굴제국의 쇠퇴 - 잦은 정복 전쟁, 재정 파탄, 지방 세력의 반란
과정	동인도 회사의 활동→ (플라시 전투)(1757)후 벵골 지역의 통치권 장악

2. 세포이의 항쟁(1857)

배경	· 영국의 식민 통치와 착취 · 세포이의 (종교)적 갈등
전개	세포이의 봉기→ 인도 독립 전쟁으로 발전→ 영국의 진압
영향	· 무굴 제국의 황제 폐위 · 인도 통치 개선법 제정 · 동인도 회사의 인도 지배권 박탈 · (영국령 인도 제국) 성립

3. 인도 국민 회의: 인도의 근대화 운동

결성	영국이 인도인 회유를 위해 정치 조직 결성 지원→ 지식인, 관리, 민족 자본가, 지주 등의 주도로 결성
초기 활동	영국에 협조하면서 인도인 권익 확보에 주력
반영 운동	· 계기: 영국의 (벵골 분할령) 발표(1905) · (콜카타 대회): 4대 강령 채택 - (스와라지)(자치) - (스와데시)(국산품 애용) - (영국 상품 불매) - (국민 교육 진흥) · 결과: 영국의 벵골 분할령 취소, 명목상 인도 자치 인정

*브라흐마 사마지 운동: 람 모한 로이 주도의 종교 운동으로 사회 폐습 타파를 주장하였다.

2016학년도 대수능 세계사

13. 밑줄 친 '봉기'에 대한 설명으로 가장 적절한 것은? [3점]

> "새 탄약통을 지급하면서 힌두교도에게는 소기름을 바른
> 탄약통을 주었고, 이슬람교도에게는 돼지기름을 바른 탄약통을
> 주었다."라는 소문이 돌기 시작하였다. 이 소문은 꼬리에 꼬리를
> 물고 번져갔다. 마침내 미루트에서 용병 3개 연대가 봉기
> 하였다. 그들은 노년의 무굴 황제를 내세우고, 황제의 이름으로
> 각지에 동참을 호소하였다.

① 플라시 전투 직후에 발생하였다.
② 인도 국민 회의의 지원을 받았다.
③ 스와데시·스와라지를 구호로 삼았다.
④ 롤럿(로래트) 법의 폐지를 요구하였다.
⑤ 영국이 인도를 직접 통치하는 계기가 되었다.

2018학년도 대수능 세계사

10. (가) 단체에 대한 설명으로 옳은 것은? [3점]

> 제○○호   **세계사 신문**   ○○○○년 ○○월 ○○일
>
> [　　(가)　　 **창립**]
>
> 빅토리아 여왕이 인도 제국의 황제가 된 지 약 9년 후, 인도 주요
> 지도자들이 뭄바이에 모여 　(가)　 을/를 결성하였다. 창립 대회에는
> 29개 지역에서 파견된 70여 명의 대표자들이 참가하였다. 창립 이후
> 　(가)　 은/는 인도인의 장교 채용, 인도 직물 산업의 보호, 인도 문관
> 시험 제도의 개선, 입법 참사회의 확대 등을 요구하였다.

① 롤럿법 제정을 요구하였다.
② 세포이의 항쟁에 가담하였다.
③ 마라타 동맹의 결성을 지원하였다.
④ 인도 독립 동맹의 주도로 조직되었다.
⑤ 뱅골 분할령을 계기로 반영 운동에 앞장섰다.

정답 13. ⑤, 10. ⑤

서아시아사

내용 정리

선생님의 필기를 바탕으로 여러분이 정리해보세요:)

핵심 내용

나의 생각

MEMO

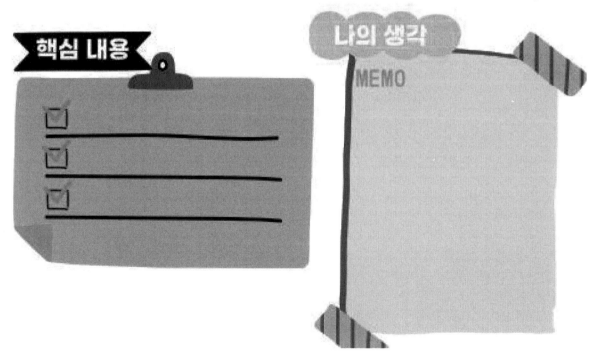

과목	역사 1	소속	( )학교 ( )학년 이름( )
단원	I. 문명의 발생과 고대 세계의 형성		
주제	3. 고대 제국들의 특성과 주변 세계의 성장		
핵심내용	- 아케메네스 왕조 페르시아 - 사산 왕조 페르시아		

주제 1 페르시아 제국의 발전

내용 정리

선생님의 필기를 바탕으로 여러분이 정리해보세요:)

1. 아시리아: (기마 전술)과 (철제 무기)를 바탕으로 서아시아 통일→ 피지배 민족에 대한 (강압)적인 통치로 멸망

2. 아케메네스 왕조 페르시아

발전	다리우스 1세 - 대제국 건설 - 20여 개 행정 구역에 총독을 보냄 - 총독을 감시하기 위해 감찰관 파견(왕의 눈, 왕의 귀) - 도로(왕의 길)와 역참 정비
특징	(조로아스터교) 숭배, 피지배 민족에게 (관용)
쇠퇴 멸망	(그리스 세계) 와의 전쟁에서 패배 후 쇠퇴→ 알렉산드로스의 침공으로 멸망

3. 파르티아와 박트리아

파르티아	· 이란계 유목민이 건국, 동서 (중계 무역)으로 번영 · 로마와 대립으로 쇠퇴→ 사산 왕조 페르시아에 멸망
박트리아	· 그리스인들에 의해 건국 · 쿠샨족에 의해 멸망

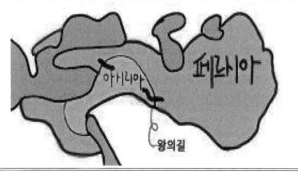

4. 사산 왕조 페르시아

건국	· 3세기 초 이란계 민족이 아케메네스 왕조의 부흥을 내걸고 건국 · 수도 크테시폰
발전	동서 (중계 무역)으로 번영
멸망	비잔티움 제국과의 계속된 전쟁, 왕실의 내분으로 쇠퇴→ 이슬람 세력의 침입으로 멸망
문화	· 종교: (조로아스터교)의 국교화, (마니교) 출현 · 건축, 공예: 금·은·유리 세공 기술과 양식이 서아시아, 중국, 한반도, 일본에 전파

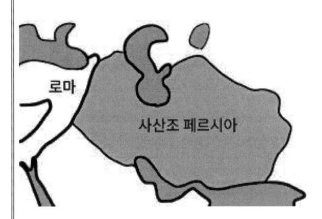

2023학년도 대수능 세계사

5. (가) 왕조에 대한 설명으로 옳은 것은? [3점]

> (가) 이/가 비잔티움 제국과 동맹을 맺자, 칼리프 우마르는 먼저 야르무크 전투에서 비잔티움 제국의 군대를 궤멸시킨 후 병력을 총동원하여 메소포타미아로 보냈다. 이에 (가) 은/는 까디시야 전투에서 코끼리 부대의 이점을 최대한 살려 반격하였으나, 결국 패전하였다. 이듬해 2개월에 걸친 공방전 끝에 수도 크테시폰이 함락되었으며, 샤한샤 야즈데게르드 3세는 동쪽으로 도주하였으나 후에 암살당하였다.

① 우르두어가 널리 사용되었다.
② 조로아스터교를 국교로 삼았다.
③ 이스마일 1세에 의해 건국되었다.
④ 투르·푸아티에 전투에서 패배하였다.
⑤ 키루스 2세가 원통에 칙령을 새겨 반포하였다.

정답 5. ②

한눈에 보는 이슬람사

고대	중세	근대	현대

고대
- 이슬람교 창시
- 헤지라(622)
- 정통 칼리프 시대
- 우마이야 왕조
- 후우마이야 왕조
- 아바스 왕조
- 파티마 왕조

중세
- 셀주크 튀르크
- 오스만 제국
- 티무르 제국
- 사파비 왕조
- 무굴제국(인도)

근대
- 와하브 운동
- 이란 입헌혁명

현대
- 터키 공화국 수립

이슬람사 연표

고대　　중세　　근대　　현대

고대
- 무함마드 이슬람교 창시
- 헤지라
- 칼리프 시대
- 우마이야 왕조

특징
- 매일 메카에 예배
- 여성은 히잡을 착용
- 술, 돼지고기 섭취 X

- 후우마이야 왕조
- 아바스 왕조
- 파티마 왕조

- 기독교: 프랑크 왕국, 비잔티움 제국

근대
- 셀주크 튀르크
  - 술탄
- 십자군 전쟁
  - 1차: 성공
  - 4차: 콘스탄티노플 점령

- 오스만 제국
- 티무르 제국
- 사파비 왕조
- 무굴 제국(인도)
→
- 오스만 제국 쇠퇴
- 와하브 운동
- 이란 입헌혁명

- 절대왕정

현대
- 터키 공화국 수립
  - 무스타파 케말
  - 서아시아 독립
ex) 이라크, 사우디아라비아

터키 국기

코란

아라베스크

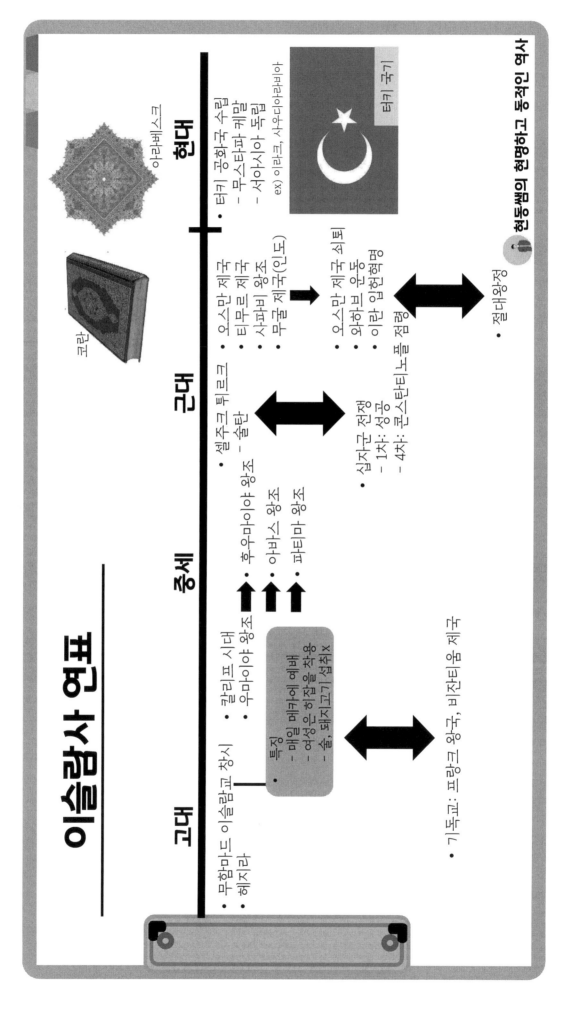

내용 정리

선생님의 필기를 바탕으로 여러분이 정리해보세요:)

핵심 내용

나의 생각

MEMO

과목	역사1	소속	( )학교 ( )학년 이름( )
단원	Ⅱ. 세계 종교의 확산과 지역 문화의 형성		
주제	3. 이슬람 문화의 형성과 확산		
핵심내용	- 아바스 왕조		

주제	1	이슬람 세계

내용 정리

선생님의 필기를 바탕으로 여러분이 정리해보세요:)

1. 이슬람교의 성립과 전파

배경	6세기 후반 사산 왕조 페르시아와 비잔티움 제국의 대립→ 새로운 교역로 발달, 메카·메디나 등 번영→ 일부 상인과 귀족의 부 독점→ 빈부격차 심화, 부족 간 대립 심화
성립	무함마드 알라를 (유일신)으로 하는 이슬람교 성립
특징	· (우상 숭배) 배격 · 알라 앞 인간 (평등)
박해	메카의 귀족층의 박해→ 무함마드의 메카에서 메디나로 이동(헤지라)
전파	메디나에서 교세 확산→ (메카) 탈환

2. 이슬람 제국의 발전

정통 칼리프 시대	· 무함마드 사후 후계자로 새로운 칼리프 선출 · 이집트 정복, 사산조 페르시아 정복, 중앙아시아 진출
우마이야 왕조	제4대 칼리프 피살→우마이야 가문의 세습 · 시아파, 수니파 분리 · 수도 (다마스쿠스) · (투르푸아티에 전투)에서 패배 · 아랍인 중용, 비아랍인 차별
아바스 왕조	· (시아파) 도움으로 건국 · 수도 (바그다드) 바그다드는 중심부가 원형의 성벽으로 둘러싸여 있어 '원형 도시'라고도 불렸다. 성벽에는 네 개의 문이 있고 이 문에 연결된 도로를 통해 세계 각지의 물자가 바그다드로 몰려들었다. 이로써 바그다드는 아시아와 지중해를 연결하는 국제 교역의 중심지로 성장할 수 있었다.

	· (탈라스 전투) 승리
	· 관용, 평등 강조
	· 13세기 중엽 몽골에 의해 멸망
제국의 분열	· 후우마이야 왕조: 8세기 (코르도바)에 건국, 유럽에 이슬람 문화 전파
	· 파티마 왕조: 시아파, (카이로) 천도

3. 이슬람 문화권

사회	· 쿠란의 일상생활 지배
	· 일부다처제 허용
경제	상업 중시
문화	· 문학: 아라비안나이트
	· 건축: (모스크)(돔, 첨탑, 아라베스크 무늬)
	· 자연 과학: 아라비아 숫자 완성, 지구 구형설, 화학의 발달(연금술)
	· 의학: 이븐 시나의 의학전범
의의	· 동서 문화 융합
	· 유럽문화에 자극을 주어 르네상스에 기여

2010학년도 대수능 세계사

9. 밑줄 친 '이 도시'를 수도로 삼았던 왕조에 대한 설명으로 옳은 것은?

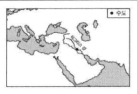

티그리스 강 기슭에 건설된 이 도시는 '평화의 도시'라고 불렸다. 이 도시의 인구는 당시 세계 최대의 도시였던 당나라 장안에 버금갔다. 이 도시에는 크리스트 교도, 이슬람 교도, 유대 인, 페르시아 인, 시리아 인, 중앙아시아 인 등 다양한 사람이 모여들었다. 이 도시가 이렇게 범세계적인 면모를 갖출 수 있었던 것은 지배자들이 종족의 차별을 철폐하고 학문과 문화를 장려하였기 때문이다.

① 헤지라를 감행하였다.
② 탄지마트를 추진하였다.
③ 와하브 운동을 전개하였다.
④ 탈라스 전투에서 승리하였다.
⑤ 수에즈 운하의 운영권을 장악하였다.

정답 9. ④

내용 정리

선생님의 필기를 바탕으로 여러분이 정리해보세요:)

핵심 내용

나의 생각

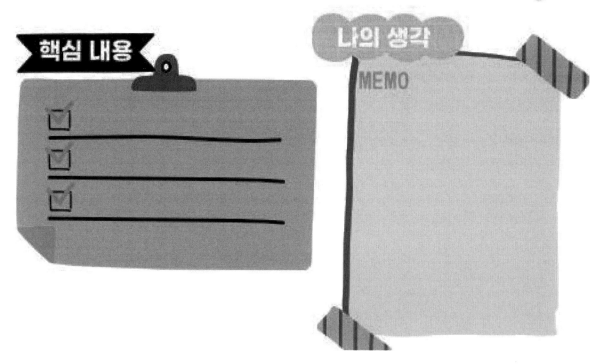

MEMO

과목	역사1	소속	( )학교 ( )학년 이름( )
단원	Ⅲ. 지역 세계의 교류와 변화		
주제	3. 서아시아·북아프리카·인도 지역 질서의 변화		
핵심내용	- 티무르 제국 동서교류 - 오스만 제국의 번영		

주제	1	이슬람 세계: 서아시아

내용 정리

선생님의 필기를 바탕으로 여러분이 정리해보세요:)

1. 다양한 이슬람 국가

셀주크 튀르크	· 아바스 왕조의 수도 점령 · 아바스 왕조로부터 술탄 칭호 획득 · 비잔티움과 갈등→ (십자군 전쟁)의 초래
일 한국	· 몽골 제국 · 이슬람교로 개종
티무르 제국	· 티무르에 의해 건국 · 몽골 제국 계승 · (사마르칸트) 수도 · (앙카라 전투)에서 오스만 제국 격파 · ☆ 동서 무역 독점
사파비 왕조	· 이스마일 1세의 건국 · 아바스 1세 – 영토 확대 – 이스파한 천도 – 비단 산업 육성, 국제 무역

2. 오스만 제국

정치	· 튀르크 계통의 오스만족이 건국 · 술탄·칼리프제 · 앙카라 전투에서 티무르 제국에 패배 · (예니체리) 창설 비이슬람교도들을 이슬람교로 개종시켜 기용한 새로운 군대라는 뜻의 예니체리는 술탄의 친위 부대로서 콘스탄티노폴리스 점령 등에 크게 기여하였다. · 메흐메트 2세 – 콘스탄티노플 점령(=비잔티움 제국 정복) – 이스탄불(콘스탄티노플)로 천도 · 슐레이만 1세 – 오스트리아 수도 빈 포위 – 지중해 해상권 장악 – 밀레트제: 인두세만 내면 법 종교 부분에서 자치 허용

사회	· 문화 종교에 대한 (관용) - 이유: 광대한 영토를 효율적으로 통치하기 위해 ex) 인두세만 납부하면 신앙 인정, 상업 참여 허용. 각 민족의 언어 사용 허용
문화	· 동서 문화 융합: 비잔티움+페르시아+튀르크 · 페르시아 세밀화 · 비잔티움 건축 양식

내용 정리

선생님의 필기를 바탕으로 여러분이 정리해보세요:)

핵심 내용

나의 생각

MEMO

과목	역사1	소속	( )학교 ( )학년 이름( )
단원	Ⅳ. 제국주의 침략과 국민 국가 건설 운동		
주제	3. 서아시아와 인도의 국민 국가 건설 운동		
핵심내용	- 오스만 제국의 탄지마트 - 와하브 운동		

주제	1	서아시아의 민족 운동

내용 정리

선생님의 필기를 바탕으로 여러분이 정리해보세요:)

1. 오스만 제국의 민족 운동

배경	· 오스만 제국의 쇠퇴 · 오스만 제국을 둘러싼 열강의 대립
근대화를 위한 노력	· (탄지마트) 추진 · 술탄의 권한 일부를 의회에 넘기고, 의회는 술탄의 승인을 얻어서 법을 제정한다. · 모든 백성의 생명, 명예, 재산을 법으로 보장한다. · 조세 징수에 관한 원칙을 마련한다. · 군대의 징집에 대한 정식 규정 및 근무 기간을 설정한다. 　　　　　- 장미의 방 칙령(1839) - · 미드하트 파샤 주도 근대적 헌법 제정 제8조 모든 오스만 제국민은 종교의 자유를 갖는다. 제9조 이슬람교도와 비이슬람교도는 법률 앞에서 평등하다. 제28조 내각 회의는 대재상의 주재로 소집되며, 내각의 권한은 국내외 모든 중요 안건에 이른다. 제42조 제국 의히는 상원과 하원으로 구성한다. 　　　　　- 오스만 제국 헌법(1876) -

청년 투르크당의 입헌혁명 (1908)	· 배경: 러시아·튀르크 전쟁 패배 이후 전제 정치 강화 · 전개: 청년 장교 주도 무장 봉기, 정권 장악→ 입헌 정치 부활 · 한계: 극단적 튀르크 (민족주의)→ 피지배 민족의 반발 초래

2. 아랍과 이란의 민족 운동

(와하브 운동)	이슬람교 순화 운동→ 제 1차 사우디 왕국 건설→ 오스만 제국에 의해 멸망→ 사우디 왕국으로 부활
이란의 민족 운동	카자르 왕조 쇠퇴→ 러시아와 영국의 침략→ 영국이 (담배 독점권) 획득→ 아프가니의 (담배 독점권) 반환 촉구 운동→ 이란 상인과 이슬람교 지도자를 중심으로 담배 이권 수호 운동 전개→ 헌법 제정

2011학년도 대수능 세계사

19. 다음 개혁 칙령이 반포된 배경으로 적절한 것을 〈보기〉에서
고른 것은?

> 오스만 왕조의 초기에는 쿠란의 빛나는 계율이나 제국의 법률이 늘 영광스러운 가운데 지켜져 왔다. …(중략)… 그러나 150년에 걸쳐 끊임없이 이어 온 여러 사건과 갖가지 분규로 …(중략)… 제국의 번영은 사라져 힘없고 가난한 처지가 되어 버렸다. 훌륭한 통치의 은혜를 베풀기 위해 우리는 오스만 제국을 구성하는 여러 주를 새로운 제도에 따라 운영하는 것이 현명하다고 생각한다.

─────〈보기〉─────
ㄱ. 수에즈 운하의 개통
ㄴ. 청년 튀르크 당의 결성
ㄷ. 영국과 러시아 등 서양 열강의 압박
ㄹ. 제국 내 여러 민족의 독립 운동 전개

① ㄱ, ㄴ ② ㄱ, ㄷ ③ ㄴ, ㄷ ④ ㄴ, ㄹ ⑤ ㄷ, ㄹ

2021학년도 대수능 세계사

9. (가) 왕조에서 있었던 사실로 옳은 것은? [3점]

그림은 영국과 러시아 사이에서 난감해하는 (가) 의 나세르 알 딘 샤를 풍자한 것이다. (가) 은/는 한편으로 카스피해 동쪽 방면에서 남하하던 러시아와, 다른 한편으로 아프가니스탄 지역 등을 장악하고 있던 영국 사이에서 이중의 압박을 받으며 영토를 빼앗기거나 각종 독점권을 넘겨주었다. 이에 샤는 근대적 개혁을 시도하였으나 외세의 간섭과 보수 세력의 반발로 실패하였다.

① 탄지마트가 단행되었다.
② 반둥 회의가 개최되었다.
③ 아도와 전투가 발발하였다.
④ 담배 불매 운동이 전개되었다.
⑤ 롤럿법 폐지 운동이 벌어졌다.

정답 19. ⑤, 9. ④

- 49 -

동남아시아사

한눈에 보는 베트남사

베트남

고대   중세   근대   현대

고대
- 반랑국 : 최초 국가
- 남비엣 : 한무제에
  의해 멸망
- ···

중세
- 쩐왕조 : 몽골 침입 격퇴
- 레왕조 : 유교 문화
- 응우옌왕조
- ···

근대
- 근왕 운동(1885)
  - 함께 함응이
  - 유교 지식인 중심
- 판보이쩌우
  - 베트남 유신회
  - 베트남 광복회
- 판쩌우진
  - 통킹의숙 설립

현대
- 베트남 전쟁
- 사회주의 공화국
  수립(1976)

베트남사 연표

• 반랑국 • 찐왕조
 - 뭉족 첫임 격퇴 (쩐흥다오)
 - 대월사기, 쯔놈 문자

• 근대화 운동
 - 근왕 운동: 황제 함응이, 유교 지식인 중심
 - 판보이쩌우: 베트남 유신회, 베트남 광복회, 월남 망국사
 - 판쩌우찐: 통킹의숙, 군주제 철폐 주장

• 현대
 - 베트남 전쟁
 - 베트남 사회주의 공화국 수립
 - 도이머이 정책 (개혁·개방)

판보이쩌우

昹 李 理
lúc lý lý

代 膾 會
ấy tháng hội

• 동아시아의 영토 분쟁

시기	특징
쿠릴열도	- 2차 세계대전 후 소련이 점령 - 일본에 반환논의가 있었으나 러시아가 지배
남부 4개섬	
센카쿠 열도	- 일본, 중국, 타이완이 갈등
시사군도	- 유전, 천연가스 자원 풍부
난사군도	

내용 정리

선생님의 필기를 바탕으로 여러분이 정리해보세요:)

핵심 내용

나의 생각

MEMO

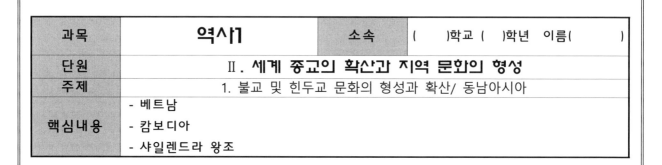

과목	역사1	소속	( )학교 ( )학년 이름( )
단원	Ⅱ. 세계 종교의 확산과 지역 문화의 형성		
주제	1. 불교 및 힌두교 문화의 형성과 확산/ 동남아시아		
핵심내용	- 베트남 - 캄보디아 - 샤일렌드라 왕조		

주제	1	동남아시아

내용 정리

선생님의 필기를 바탕으로 여러분이 정리해보세요:)

1. 동남아시아 문화

특징	인도 + 중국 + 이슬람 문화

베트남	· 북부
	  - 한 대 이래 중국의 지배를 받음
	  - 중국으로부터 독립
	  - 리 왕조
	  - 쩐 왕조: (대월사기), (쯔놈)
	문자 사용
	· 중남부: 참파(힌두교 수용, 해상 무역)

캄보 디아	· 진랍: 6세기 중엽 크메르족이 세움 · 앙코르 왕조: 앙코르 톰, (앙코르 와트) 건립
태국	수코타이 왕조: 상좌부 불교
미얀마	파간 왕조: 상좌부 불교
섬	· 스리위자야 왕조: 믈라카 중심 (중 계)무역 · 샤일렌드라 왕조: 보로부두르 건축(대승 불교) · 마자파힛 왕조: 이슬람교로 개종, 향 신료 무역 독점

내용 정리

선생님의 필기를 바탕으로 여러분이 정리해보세요:)

핵심 내용

나의 생각

MEMO

과목	역사1	소속	( )학교 ( )학년 이름( )
단원	Ⅳ. 제국주의 침략과 국민 국가 건설 운동			
주제	3. 서아시아와 인도의 국민 국가 건설 운동			
핵심내용	- 베트남의 근왕 운동 - 태국의 독립			

주제 | **1** | **동남아시아의 민족 운동**

내용 정리

선생님의 필기를 바탕으로 여러분이 정리해보세요:)

1. 동남아시아의 식민지화

배경	· (신항로 개척) 이후 유럽 열강의 동남아시아 진출 · (향신료) 확보 목적
유럽 열강의 침략	· 네덜란드: (인도네시아)에 네덜란드령 동인도 건설 · 프랑스: 플라시 전투 패배 후 인도차이나 반도 진출→ 청·프전쟁 승리 후 프랑스령 (인도차이나)연방 수립 · 영국 (미얀마) 식민지화, 말레이 연방 구성 · 미국: 에스파냐와의 전쟁에서 승리 → (필리핀) 식민지화

2. 베트남의 독립 운동

(근왕 운동)	근왕령에 호응한 유교 지식인 중심의 반프랑스 투쟁 짐이 부덕한 사람으로서 이제 프랑스의 침입이라는 상황에 직면하여 앞장서 나아갈 힘이 없다. 그러나 우리 모두가 도덕적 의무감에 충만해 있으니, 관리든 학자든 지위 고하를 막론하고 누가 짐을 저버리겠는가. 다행히 하늘의 가호가 있으면 우리는 혼란을 질서로, 위험을 안정으로 바꿀 수 있을 것이며, 끝내 우리의 전 국토를 되찾게 되리니 이번이 좋은 기회로다.
판보이쩌우	· (베트남 유신회) 조직 · (동유 운동) 전개 · (베트남 광복회) 조직
판쩌우진	통킹 의숙 설립에 참여

3. 인도네시아의 민족 운동

부디	· 자와섬 중심
우토모	· 교육을 통해 민족의식 고양
이슬람 동맹	이슬람 사회 수호, 민족 산업 육성을 통한 독립 시도

4. 필리핀의 민족 운동

호세리살	필리핀 연맹 조직
아기날도	· 미국·에스파냐 전쟁 중 (미국)지원 · 필리핀 공화국 선포

5. 태국의 독립 배경
 - 대내: 짜끄리 왕조의 적극적인 근대화 정책
 - 대외(지리): 영국과 프랑스 세력 사이의 (완충)지대

* 깨톡으로 보는 인물: 호세리살, 판보이쩌우, 라마 5세

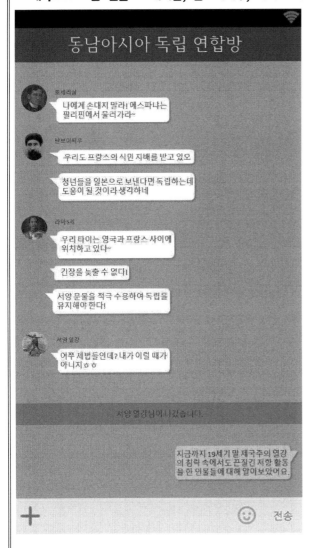

2016학년도 대수능 세계사

20. 교사의 질문에 대한 학생의 답변으로 적절한 것은? [3점]

> (가) 에서는 1782년 짜끄리 왕조가 수립되어 방콕을 수도로 삼았습니다. 시암이라고 불리기도 한 여 나라에 대해 말해 볼까요?

① 쯔놈 문자가 만들어졌어요.
② 대승 불교의 중심지였어요.
③ 서구 열강의 식민 지배를 받지 않았어요.
④ 대표적인 유적으로는 보로부두르가 있어요.
⑤ 믈라카 왕조의 주도로 해상 무역이 발전하였어요.

2017학년도 대수능 세계사

10. (가) 나라에 대한 설명으로 옳은 것은? [3점]

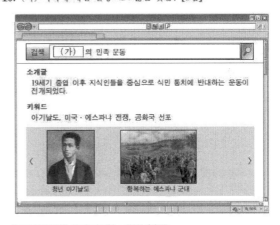

① 라마 5세가 근대 개혁을 실시하였다.
② 호세 리살이 독립 운동 단체를 이끌었다.
③ 판쩌우쩐이 통킹 의숙 설립에 참여하였다.
④ 지식인들이 자와 섬에서 이슬람 동맹을 결성하였다.
⑤ 람 모한 로이가 브라흐마 사마지 운동을 전개하였다.

정답 20. ③, 10. ②

1. 교과서 및 교재

정선영 외 8명(2020), 『중학교 역사①』, 미래엔
최준채 외 5명(2022), 『고등학교 세계사』, 미래엔

EBS 교육방송 편집부(2024), 『EBS 수능특강 세계사영역 세계사』, 한국교육방송공사

2. 문제

한국교육과정 평가원, 전국연합 모의고사, 모의평가, 수능 기출

3. 기타

김상근(2022), 『붉은 백합의 도시, 피렌체』, 시공사
스벤 린드크비스트(2003), 『폭격의 역사』, 한겨레신문
전국역사교사모임(2018), 『처음 읽는 미국사』, 휴머니스트
캐롤 스트릭랜드(2013), 『클릭, 서양 미술사』, 예경
커트 보니것(2020), 『제5도살장』, 문학동네

학번(   ) 이름(   )

ex) 1	2	3	4
김현동			

5	6	7	8

9	10	11	12

13	14	15	16

17	18	19	20